Traducción Jorge Hernán Gómez

Título original: *Het grote zingtuigenboek van Karel. Lekker zoet*
© Editorial Clavis, Amsterdam-Hasselt, 2012
© De esta edición: Editorial Luis Vives, 2013

ISBN: 978-84-263-8683-0
Depósito legal: Z 1944-2012

Impreso en Eslovenia

LOS 5 SENTIDOS DE NACHO

Liesbet Slegers

EDELVIVES

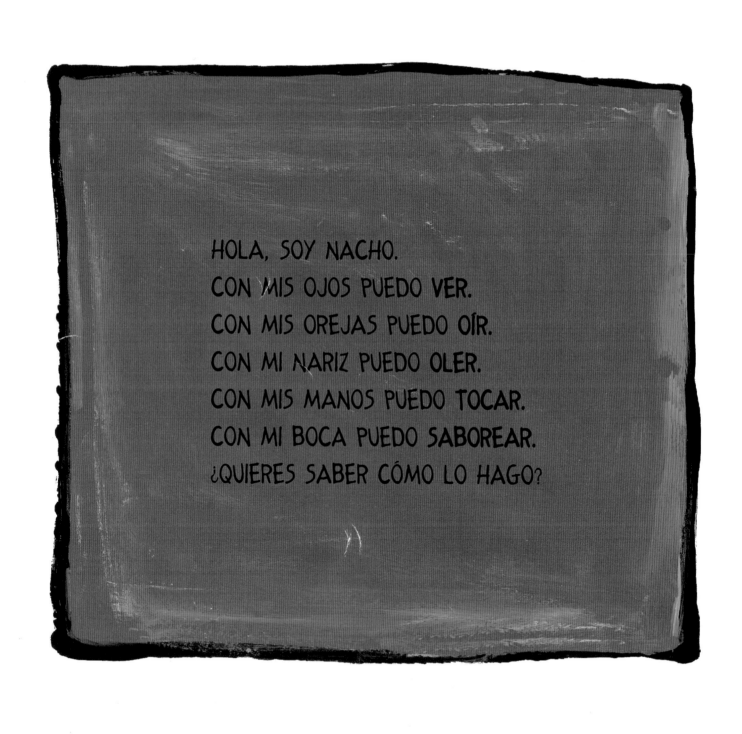

HOLA, SOY NACHO.

CON MIS OJOS PUEDO VER.

CON MIS OREJAS PUEDO OÍR.

CON MI NARIZ PUEDO OLER.

CON MIS MANOS PUEDO TOCAR.

CON MI BOCA PUEDO SABOREAR.

¿QUIERES SABER CÓMO LO HAGO?

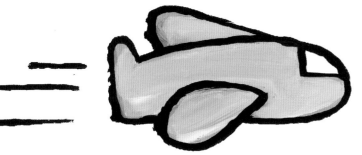

¡BRRRUM!

LA VISTA

Fante, ¿puedo ver qué traes?
¡Vaya globo tan bonito!
Me gustaría verlo volar en el cielo,
rojo y redondo como un caramelo.

NACHO VE CON SUS DOS OJOS.
¡ENSÉÑALE LOS TUYOS!
AHORA MIRA BIEN A TU ALREDEDOR. ¿QUÉ VES?

¿Y QUÉ ESTÁ VIENDO NACHO?

UNA LÁMPARA

LA LUNA
Y LAS ESTRELLAS

A MAMÁ

UNA MARIPOSA

UN LIBRO

ES DE NOCHE. AFUERA TODO ESTÁ OSCURO Y EN SILENCIO.
DETRÁS DE LA MAMÁ ERIZO VIENEN DOS DE SUS HIJITOS.
¿Y EL TERCERO? ¿PUEDES VERLO?
¿CUÁNTAS ESTRELLAS VES?

¿QUÉ ANIMAL SE HA IDO YA A DORMIR?

¿QUÉ HACE NACHO?

¿TIENE LOS OJOS ABIERTOS?

¿QUÉ AVE SIGUE DESPIERTA DE NOCHE?

ESTOS DIBUJOS SON MUY PARECIDOS.
PERO HAY CINCO DIFERENCIAS ENTRE ELLOS.
¿LAS HAS VISTO YA?

EL OÍDO

Pajarito, ¿puedo oír qué cantas?
Tu trino es muy bonito.
¿Qué sonido estás haciendo?
Escucharte me pone contento.

NACHO OYE CON SUS DOS OÍDOS.
¡ENSÉÑALE LOS TUYOS!
AHORA ESCUCHA CON ATENCIÓN. ¿QUÉ OYES?

¿Y QUÉ ESTÁ OYENDO NACHO?

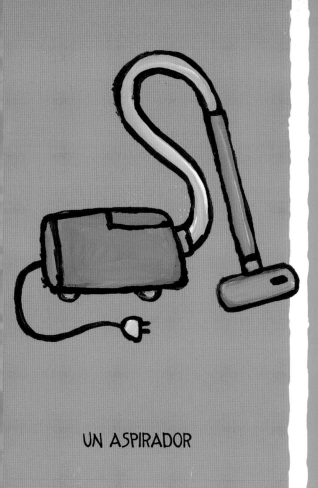

UN ASPIRADOR

NADA
(TAMBIÉN SÉ
ESTAR CALLADO)

LA RADIO

UN RATÓN

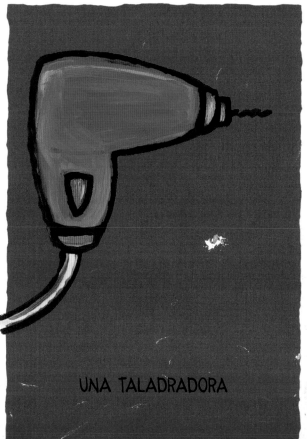

UNA TALADRADORA

UN RELOJ

NACHO Y LAURA ESTÁN JUGANDO EN CASA.
¿QUÉ SONIDOS OYEN?

CADA ANIMAL HACE UN SONIDO DIFERENTE.
¿TE ANIMAS A IMITARLOS?
¿CUÁL SUENA MÁS FUERTE Y CUÁL MÁS SUAVE?

EL LEÓN RUGE.

LA RANA CROA.

EL PERRO LADRA.

EL GATO MAÚLLA.

EL CABALLO RELINCHA.

LA OVEJA BALA.

LA GALLINA CLOQUEA.

LOS PECES SON SILENCIOSOS
(PERO A VECES HACEN BURBUJAS).

-¡LALALA, LALALA! —CANTAMOS
LAURA Y YO EN EL COLE.

«¡POM, POM!», GOLPEO EL TAMBOR
CON LOS MAZOS.

«¡CLAP, CLAP!», APLAUDO
CON LAS MANOS.

A VECES ME ENFADO Y DOY UNA PATADA
EN EL SUELO. PERO A MAMÁ NO LE GUSTA.

—¡MAMÁ! —GRITO MUY FUERTE.
—¡QUÉ DOLOR DE OÍDOS! —CONTESTA MAMÁ.

PERO TAMBIÉN SÉ SUSURRAR.
HASTA SÉ QUEDARME TOTALMENTE CALLADO.

—¡BUAAA! —LLORA LAURA.
Y SIENTO PENA POR ELLA.

—¡YUPI! —SALTO DE ALEGRÍA.
ME ENCANTA CÓMO SUENA.

EL OLFATO

Cabrita, ¿puedo oler tus flores?
¡Qué aroma tan delicioso!
Un ramo de tantos colores
llena todo de intensos olores.

NACHO HUELE CON LA NARIZ.
¡ENSÉÑALE LA TUYA!
VAMOS A OLER ALGO.
¿HUELE BIEN O HUELE MAL? ¿ACASO NO HUELE A NADA?

¿Y QUÉ ESTÁ OLIENDO NACHO?

UNA CACA

UNA FLOR

UN PERFUME

EL JABÓN

UNA NARANJA

LA BASURA

NACHO VA A CASA DE LAURA.
¿QUÉ OLORES DISTINGUE?

PERFUME

TORTITAS

¡MMMM!

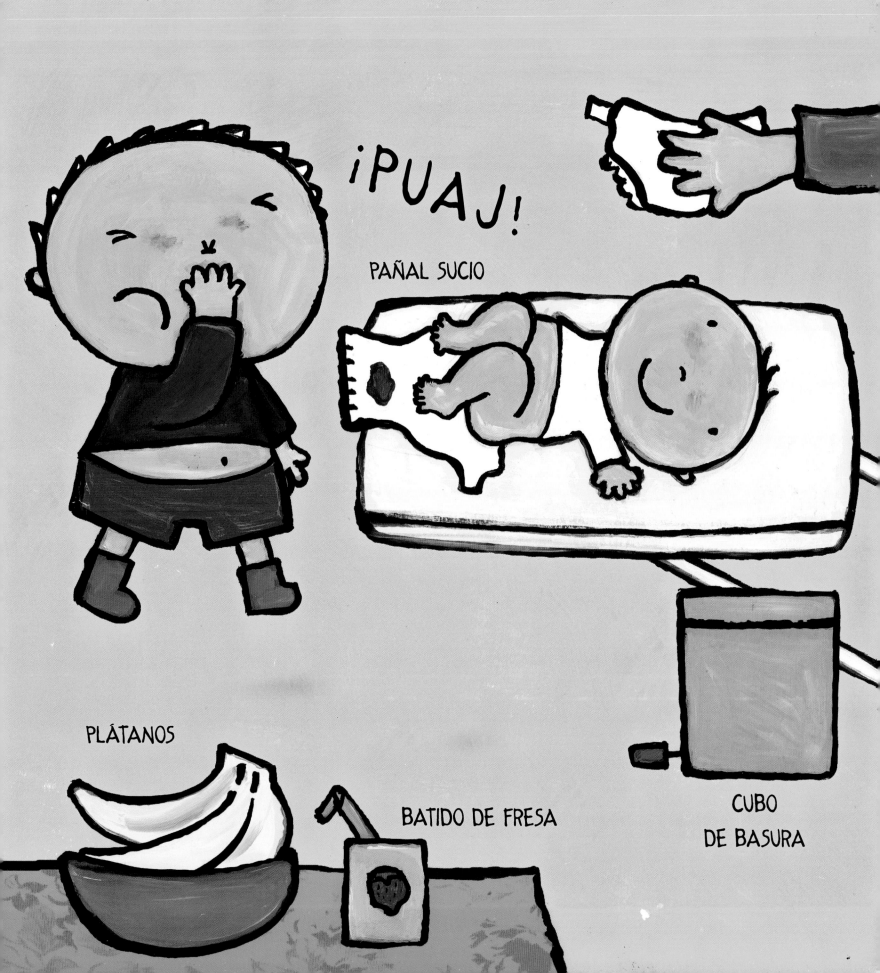

MUCHOS ANIMALES TIENEN MUY BUEN OLFATO.
DESCUBRE QUÉ ESTÁN OLIENDO EL PERRO, EL CERDO Y EL RATÓN.

PERAS

EN EL JARDÍN HAY MUCHOS OLORES.
¿QUÉ HUELE BIEN?
¿QUÉ HUELE MAL?

FLORES

CACA DE PÁJARO

HIERBA RECIÉN CORTADA

PIS

EL GUSTO

—Mami, mami, ¿puedo probar?
Quiero tarta o algo bien rico.
Me encanta saborear golosinas
y comer dulces de un mordisco.

NACHO SABOREA CON LA LENGUA.
¡ENSÉÑALE LA TUYA!
PREGUNTA A MAMÁ O A TU PROFESORA SI PUEDES
PROBAR ALGO NUEVO. ¿SABE BIEN O SABE MAL?

¿Y QUÉ ESTÁ SABOREANDO NACHO?

QUESO
(SALADO)

UN RÁBANO
(AMARGO)

UN LIMÓN
(ÁCIDO)

UNA SALCHICHA
(SALADA)

UN PLÁTANO
(DULCE)

UNA PIRULETA
(DULCE)

MIRA TODA ESTA COMIDA.
NACHO VA A PROBAR UN MONTÓN DE ALIMENTOS.
¿TÚ TAMBIÉN LOS COMES? ¿Y CÓMO SABEN?

UNA FRESA

PATATAS

HELADO

UNA GALLETA

YOGUR

SOPA

UN HUEVO

GUISANTES

QUESO

PAN

AGUA

UNA HAMBURGUESA

A ESTOS NIÑOS LES GUSTAN COSAS DIFERENTES.
¿SABES QUÉ ESTÁ COMIENDO CADA UNO?
Y A TI, ¿QUÉ ES LO QUE MÁS TE GUSTA?

SI MIRAS LA CARA DE NACHO DESCUBRIRÁS
QUÉ SABORES LE GUSTAN Y CUÁLES NO.
SIGUE LAS LÍNEAS Y SABRÁS QUÉ HA PROBADO.

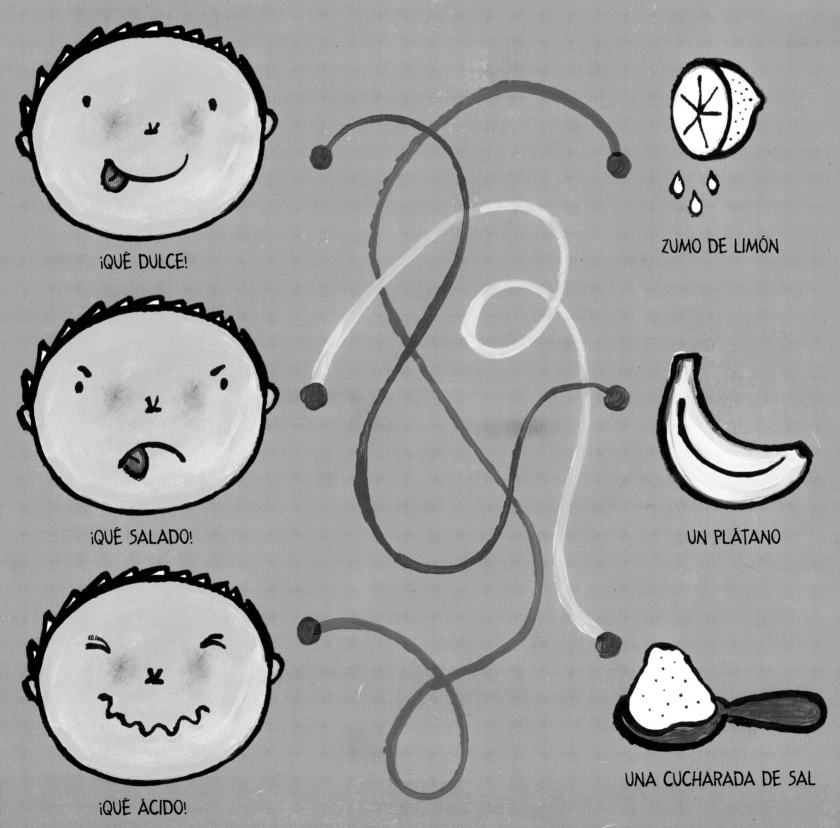

¡QUÉ DULCE!

ZUMO DE LIMÓN

¡QUÉ SALADO!

UN PLÁTANO

¡QUÉ ÁCIDO!

UNA CUCHARADA DE SAL

EL TACTO

Ovejita, ¿puedo tocar tu lana?
Me gusta tu pelo
suave y calentito.
¿Me dejas jugar contigo?

NACHO SIENTE CON TODA LA PIEL.
¡ENSÉÑALE LA TUYA! LA TIENES POR TODAS PARTES.
TOCA ALGO GUARDADO EN LA NEVERA. ¡BRRR, QUÉ FRÍO!
PERO QUÉ GUSTITO CUANDO TE CALIENTA EL SOL.

¿Y QUÉ ESTÁ TOCANDO NACHO?

EL JABÓN
ES RESBALADIZO.

EL OSITO DE PELUCHE
ES SUAVE.

EL AGUA DEL GRIFO
ESTÁ CALIENTE.

EL CACTUS
PINCHA.

EL MUÑECO DE NIEVE
ESTÁ FRÍO.

LOS BLOQUES DE CONSTRUCCIÓN
SON DUROS.

NACHO SALE DE CASA.
¿QUÉ SENTIRÁ FUERA?

TRONCO RUGOSO

PIEDRAS LISAS

AGUA FRÍA

LANA SUAVE

ROCAS ÁSPERAS

ESPINAS QUE PINCHAN

TODO ESTO QUE VES ES MUY DIFERENTE CUANDO LO TOCAS.

¿PUEDES ENCONTRAR COSAS PARECIDAS EN CASA?

¡TÓCALAS Y DESCUBRE QUÉ SE SIENTE!

UN JERSEY DE LANA

UN DINOSAURIO CON ESCAMAS

LAS PLUMAS DE UN POLLITO

UNOS VAQUEROS

UNAS BOTAS DE AGUA

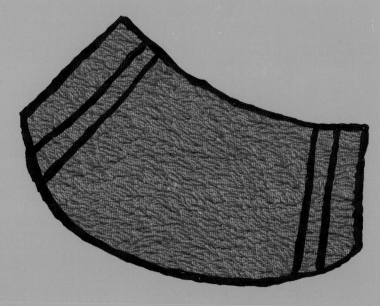

UNA TOALLA

UNA PIRULETA CHUPADA

UNA MUÑECA CON EL PELO DE LANA

1

—VAMOS A JUGAR —EXPLICA LA PROFESORA—.
GUARDARÉ UNA COSA EN LA CAJA,
VOSOTROS LO TOCARÉIS Y ADIVINARÉIS QUÉ ES.

2

YO METO LA MANO EN LA CAJA. SIENTO ALGO
TAN SUAVE COMO LA LANA. ¿QUÉ SERÁ?

3

—¡ES UN CONEJITO DE PELUCHE! —DESCUBRE NACHO.
—¡BUEN TRABAJO! —LO ANIMA LA PROFESORA.

4

ES EL TURNO DE LAURA.
—SIENTO ALGO DURO Y LISO.
CREO QUE ES UN JUGUETE DE PLÁSTICO.

5

–¡UN COCHECITO! –EXCLAMA LAURA.
–ESTUPENDO –DICE LA PROFESORA.

6

LE TOCA A ALÍ.
–SIENTO ALGO QUE PINCHA. ¿SERÁ UN ERIZO?

7

–¡NO, ES UN CEPILLO! –SE RÍE ALÍ.
–¡MUY BIEN! –LO FELICITA LA PROFESORA.

8

UN COCHECITO LISO
UN PELUCHE SUAVE
UN CEPILLO QUE PINCHA

–LA CAJA DE SORPRESAS ES MUY DIVERTIDA.
¡QUEREMOS SEGUIR JUGANDO!

¡CUCUTRÁS!
NO TE VEO.
¡CUCUTRÁS!
AHORA SÍ TE VEO.
¡CUCUTRÁS!
¡QUÉ JUEGO TAN DIVERTIDO!
¿QUIÉN SE ESCONDE? ¿NACHO, LAURA O EL OSITO?
¿TE APETECE PROBAR AHORA A TI?